劉福春・李怡 主編

民國文學珍稀文獻集成

第三輯

新詩舊集影印叢編　第112冊

【臧克家卷】

泥淖集

重慶：生活書店 1939 年 3 月初版

臧克家　著

淮上吟

上海雜誌公司 1940 年 5 月初版

臧克家 著

花木蘭文化事業有限公司

國家圖書館出版品預行編目資料

泥淖集／淮上吟／臧克家　著—初版—新北市：花木蘭文化事業有限公司，2021〔民110〕

82面／142面；19×26公分

（民國文學珍稀文獻集成・第三輯・新詩舊集影印叢編　第112冊）

ISBN 978-986-518-473-5（套書精裝）

831.8　　10010193

ISBN-978-986-518-473-5

民國文學珍稀文獻集成・第三輯・新詩舊集影印叢編（86-120冊）

第112冊

泥淖集
淮上吟

著　者　臧克家

主　編　劉福春、李怡

企　劃　四川大學中國詩歌研究院
　　　　四川大學大文學學派

總編輯　杜潔祥

副總編輯　楊嘉樂

編　輯　許郁翎、張雅淋、潘玟靜　美術編輯　陳逸婷

出　版　花木蘭文化事業有限公司

社　長　高小娟

聯絡地址　235 新北市中和區中安街七二號十三樓
　　　　電話：02-2923-1455／傳真：02-2923-1452

網　址　http://www.huamulan.tw 信箱 service@huamulans.com

印　刷　普羅文化出版廣告事業

初　版　2021年8月

定　價　第三輯86-120冊（精裝）新台幣88,000元

泥淖集

臧克家 著

生活書店（重慶）一九三九年三月初版。原書三十六開。

泥淖集
臧克家著
抗戰詩集
生活書店

泥淖集

（抗戰詩集）

臧克家著

各地生活書店發行

中華民國二十八年三月

泥淖集

（抗戰詩集）

每冊實價貳角伍分
外埠酌加寄費

著者 臧克家

發行人 徐伯昕

發行者 生活書店
重慶 桂林 上海 香港 西安
昆明 成都 沅陵 蘭州 貴陽
吉安 金華 福州 梅縣 曲江
宜昌 貴陽 立煌 迪化 星洲

印刷者 生活印刷所

中華民國二十八年三月初版

PC0644-1-3000

目錄

1

敵人陷在泥淖裏

1

去年今天，
蘆溝橋第一聲槍，
打破了
容忍的界線，
今年今天，
中華的土地上，
無處不燃起
鬥爭的烽烟。
在這週年紀念日，

2

我們的死敵，
你們無妨帶着猖狂，
總結一筆戰爭賬。
「在三百六十天以內，
我們的馬蹄，
踏破了萬里長城，
蹂躪了中原土地，
佔領了北平，
攻陷上海，南京，
下了徐州，
武漢也在旦夕中。」

3

你們只管在播音機前
把這清單宣誦：
向日本民衆，
向中國民衆，
向全世界的民衆，
「華軍不堪一擊，
海陸空軍一出動，
只須兩星期，
可以把支那吞併。」
該還記得，這是去年
你們將軍發出的吼聲。

4

「我們一步一步，
陷入了泥淖，
華軍頑强的很呵，
我們要作持久的戰爭！」
今年，你們將軍的話，
忽然從天上跌到地下。
是的，
你們慣好立在雲霄裏
看中國，
看自家，
把四萬萬中國人

5

看作永恆的散沙。
（在你們槍下流出的紅色的液體，
把我們緊密的黏結在一起。）
你們把中華掘不盡的寶藏：
人力，物力，財力，
放在天秤上，
那一邊墜一個最輕的法碼。
（你們自信最清楚中國，
這一次却出了大錯。）
「皇軍」，在陣前
叩頭哀鳴，

6

長跪求生，
這情態也許映不到你們的眼睛。
出發的時間，
從東京，
從大阪，
那虛榮掩不住的悲傷臉，
那護身符，千人針，
還有從戰地上
寄妻子的感傷信，
這一切你們可以看見。
一年來，

7

中國失掉了些什麽東西？
是幾條鐵路，
幾個城池。
但你們也可以這麽說：
「我們已經吞沒了半個中國！」
戰爭的敎訓是偉大的呵，
去年動搖的將軍，
今年在火線上
領導着士兵去衝鋒，
青年人爭着上戰地，
把參加戰鬥認做光榮。

8

再加一句，
我敢對你保證：
在長期苦鬥裏，
一個中國人
就是一個中國兵。
我們死守一寸河山，
一寸土地，
我們自由的
在上面呼吸，
我們要收復一寸河山，
一寸土地，

9

用紅血把上面的恥辱，
刷洗。
敵人呵，
你們的炸彈，
炸決了中華人民心間的大堤，
它將和你們炸彈下
決口的黃河一樣，
氾濫無止息。
一年的日子是很短促的呵，
鬥爭不過剛剛開始。

二十七年六月於潢川

10

送戰士

槍在肩上打挺，
大地在腳下雷鳴，
怒火燒在臉上，
怒火燒在心中。

× × ×

走向戰場
像走向故鄉，
不可撼搖的山岳——
這行列的陣容！

11

× × ×

不是出發去開邊，
不是去作鬩牆的私戰，
不是爭功勳，呈英雄，
替一個野心去打地盤。

× × ×

敵人破碎了我們的河山，
敵人燒焦了我們的家園，
敵人侮辱了祖宗的墳墓，
男殺女奸，
天大的欺侮，

12

使我們不能開顏。

× × ×

迎上戰場，
堂堂七尺的男子！
用砲火去把恥辱洗淨，
我們是哀兵。

× × ×

送行的隊伍，
鎖住了大街，
掌聲把一串串眼淚
拍落下來。

× × ×

前邊響着鞭炮，
後面追起歌聲，
燈光照着這行列，
穿過人羣，向前方疾行。

× × ×

沒有攔道索夫的淚痕，
不須可笑的千人針，
我們也有份禮物相贈：
那便是千萬顆要爆炸的心！

二十七年四月於武昌

14

爲鬥爭我們分手

——送匡君入營——

在鬥爭中
我們分的手，
你就繞到敵人的背後，
我們有的跑上戰地，
關山切斷了
生死的消息。
今晚，圍起圓桌，
不是做夢，

是在前方意外的重逢。
紅的是燈光，
熱的是感情，
杯子在半空起落，
酒在胸中灼火。
誰也不許把酒杯停放，
今晚大家要拚醉一場！
圈住桌面的
這一條條身子，
都是從槍子縫裏漏下來的，
從炸彈片中漏下來的，

15

16

我們把意外檢來的生命，
再投到槍林彈雨中。
痛飲吧，
管它天轉地動，
眼裏飛金星，
不是傷別離，
（這不是惜別的日子！）
是珍重可貴的今夕。
明朝呵，
有一萬里途程
在等候着你。

17

落日將照你渡黃河，
（大河的水浪在吼叫着吧？）
步步踏上被蹂躪的土地，
（大地上該有殷紅的血跡！）
經過古趙燕，
徒步漠漠的原野，
到北運河邊上
安放下你的身子。
那裏有千百萬同胞，
在壓榨裏求生，
在憤怒裏燃燒，

18

在沉默裏鬥爭。
去吧，
去給他們熱，
給他們力，
去和他們結在一起，
用決死的心
把勝利抓到手裏！
別後的時光
讓烽火來消磨，
戰烟的輕紗，
將把咫尺隔作天涯，

19

那有什麽？
年青人無多遐思，
不同的天涯
一樣是在苦鬥裏。

二十七年六月於滇川

20

「九一八」在冷雨中

冷雨
忘不了「九一八」，
有意撩人的深思，
它不住的淅瀝。
（其實，像母親的忌日，
那個兒女會把它忘記。）

× × ×

一日的安閒，
增長了多少悲痛，

21

七年的風雨，
沒有把漬心的恥辱洗淨。

× × ×

昨日敵機偵察好了的地圖，
模糊在雨絲裏，
百里外的炮火，
今天也死絕了聲息。

× × ×

冷雨洗着黃花，
冷雨打着戰地，
雨絲拉長了

22

不死的記憶。
記憶着天下第一關，
在秋風裏撼搖，
記憶着黑水嗚咽
白山高。
記憶着仇恨
海樣深，
記憶着三千萬同胞
在鬥爭呼號。
× × ×
你聽，每一張口，

每一尊炮，
都在嘶喊着：
「復仇就在今朝！」

二十七年九一八於宋埠黃昏冷雨中

24

大別山

一脚踏進大別山，
遠近崗巒的鋸齒，
把一面青天
鋸裂得破爛不堪，
眼光投出去，
山頭又給碰回來，
使人追念起
一眼橫掃千里的平川。
日月從石頭上出沒，

25

天地把人心擠得放不寬，
青峯隨意亂排起陣勢，
峭壁要聳聳身子飛上天。
水色不讓山光姣好，
把媚眼的瀑布掛在山腰，
流泉到處賣弄清響，
把石子沖洗得光滑剔亮。
豺狠雄踞在當路，
公然怒目向客子，
它號叫帶着驕傲，
人的髮尖根根豎起。

26

千色的花草，
向你的眼睛爭寵，
你却叫不出
它們的名，
翡翠有意
顯她的美麗，
天鵝守着清流
在作超逸的幽思。
風前聽松濤，
看眉月山間照，
拿破侖的雄心，

這時也會作片刻的動搖。
暗夜星光下，
峯頭像鬼怪撲來，
湍流助着它的聲勢，
使你的靈魂無法不戰慄。
山裏的人民
像頑石，
頂起生活——
一個堅苦的殼子，
青石的籬笆
高不可起拔，

28

把外面的世界，
遠遠的推拒開。
山澗的清流
入腸化作鐵血，
山岩讓出的土條
他們賴着生活，
用斧頭，
用鋼刀，
結隊成羣，
到山林裏去採樵，
一條扁担壓上肩，

29

眞果是「山松野草帶花挑」。
肩上揉去了皮，
帶油的松枝燒別人的鍋底，
一天的勞力，
塡不滿一天的肚皮。
白雲給羣山披紗，
樹梢上落滿了殘照，
暴雨在空谷激響，
大雪吞沒了山腰。
這景色，
只可以去沈醉詩人，

30

在他們心間
已喚不起清新。
死守着祖宗的法則，
生活放不出輝光，
時光一年一年流走，
他們一絲也不叫他走樣。
看日月出自東峯
又墮下西山，
他們想不到
日月照耀下的世界在一刻萬變！
然而，時代的洪流

31

在作無情的冲擊，
它不許人間有世外桃源。
十年前，一道亮光
刺開了久閉的雙眼，
一個霹靂，
心地豁然裂寬！
這故事，
你可以去問殘破的碉堡，
風雨已把它
血的記憶洗淡。
撕碎了自殘的舊賬，

32

匯注起我們的力量，
祖國立在生死的邊緣，
大敵在當前！
他的血手
到處亂摸，
他的血手
已插入了大別山。
這靜的聖境，
這山的畫圖，
從此濺上了
血的腥污，

33

聽

清流嗚咽！

聽

林木哀號！

看

羣山顏怒！

聽

人民叫囂！

叫囂着——

拿起土槍，

拿起砍柴的刀，

34

像把守關口，
他們把守着狹道。
黑夜伴他們
向敵人出擊，
山巒擴大着
槍子的聲勢，
敵人一步一個陷井，
這裏的一切對他們都熟習。
神出鬼沒，
山頭浮雲一樣的飄忽，
他們是游擊的鐵兵，

35

不是「擾人清夢的蝨子」。(註)
看你有多少人來塡死縫？
勝利才能把仇恨消淨，
大別山的石永不會爛，
看看誰能夠熬得時間。

二十七年八月於商城寫起
二十八年四月于樊城完成。

(註)敵人侮我游擊隊語。

36

轟炸後

天空，
像一尊貞靜的女神，
掙出了大隊敵機
狂暴的蹂躪，
遠近的烟縷
亂塗着悲慘，
恐怖的餘絲
牽着大地微顫。
宇宙鬆下了臉，

37

眼前一片靜，
死的陰影裏
閃出的人們在蠕動。
有的向城圈放開快步，
瞄準烟注，
虛心地測量着
自己的住處。
脚步踏進城寨，
慘景送上眼來，
深坑炸得出水，
窗櫺撕爛了紙衣，

38

（一個深坑
是一個仇恨的標誌！）
屋頂火口咆哮，
人肉掛在樹梢。
「這是意大利飛機，
平飛，投彈一條鞭」，
分不清是誰向誰解說，
彼此帶起悲傷交談。
一具具尸身抬往野塋，
哭聲縷縷牽在後邊，
這時黑烟漸低漸淡，

繚繞着千萬人的仇怨！

二十八年元月十五於南陽慘炸後。

40

匕首頌

——贈魯夫——

匕首一柄，
三寸長，
鐵的鞘子
涵着冷光。

× × ×

你撫摩着它發笑，
像撫摩着自己的心愛，
它是一個雄心，

41

在沈默中等待。

× × ×

你枕着它睡，
枕着它做夢，
夢裏的天空，
掣起來一道長虹。

× × ×

它在飢餓中哭泣，
它需要紅的血水，
它要試一下自己的鋒銳，
當敵人在五步以內。

二十七年八月於商城

42

除夕吟

不憚跋涉的新年，
馭着風，帶着雨，
追逐流浪人
到這萬里外的茅店。

× × ×

小油燈
瞪着陌生的白眼，
漸黑的炭火，
不肯放一點溫暖。

43

× × ×

心窩的思緒
同窗外的雨絲，
在比賽着
頭緒的紛繁。

× × ×

記憶
像新濬的古井，
注來了
四方八面的淸泉。

× × ×

44

生疏了的聲音，
在耳中熱切作響，
暗翳了的風貌，
全都亮在眼前。

× × ×

故鄉今夕的顏色，
有揣不透的慘淡，
門前的「馬耳」，(註一)
怕也會愁白了青顏。

× × ×

幾次吞進貪婪的口，

又幾次帶血吐了出來，
不必經見也可以知道：
覆巢底下那裏有完卵。

× × ×

烽火把身家
截成了兩段，
誰知道家人，
是否也和我一樣平安。
也許，母親跑向菩薩
問兒子的消息，
也許手捧着香

46

她又許下了新愿。

× × ×

十七歲的小叔叔，（註二）
也許做了大隊的尾巴，
趁着這夜雨
去襲擊城垣。

× × ×

今夕思鄉
却沒有清淚，
有更沈重的影像
壓在我的心間。

47

× × ×

難童啼飢的號叫，
戰壕裏士兵的寒戰，
還有失去了的領土上，
多少同胞把悲憤化作長歎！

× × ×

一寸鮮血，
換來一寸時間，
踏着志士的尸骸，
從去年度到今年。

× × ×

48

血氣不死的男女，
受下新年帶到的辛堅，
都把情感凝做行動，
一齊挺向敵人的陣前。

二十七年除夕於南陽。

（註一）山名
（註二）現在游擊隊中

均縣——你這水光裏的山城

均縣，你這水光裏的山城，
「武當」臥在你的胸中，
漢水引領羣山東去，
像是你的一條曲肱。

縱橫的房舍，
要把城垣擠倒，
用四周的靑巒，
做護身的圍屏。

山像榛莽

50

擠搾了大地，
擠搾了依靠大地的
人民的生計。
山上有漆樹，
身上染着黑色的血，
山上有桐樹，
枝頭綴着珍珠的粒子，
地下有金苗，
地下有煤礦，
人人都說：
「這裏滿山黃金，遍地是寶藏。」

然而，這自然的寶庫，
只放光在夢裏，
山裏的人民
却沒握着開啓的鑰匙。
他們用鐵手開山，
撒上黃土做成田園，
薄弱的土層，
禁不起幾個旱天，
幾場暴雨，
泥水也會把種籽挾下山澗。
汗血加上運命，

52

熬得穀粒成收，
還得日夜看守着它，
山間的禽獸張着同樣飢餓的大口，
二十世紀的天日
照着他們同自然鬥爭，
生活的鐵練
勒細了他們的頸頸。
看到他們藏身的山屋，
令人想起古代的穴居，
看到他們下嚥的飯，
窮愁立刻把人心塞滿，

53

眼前的山石永遠發青，
他們的日子永遠是暗淡。
青山的石鬧
再沒法拒開救亡的洪流，
（青山斬斷了進化的脈絡，
寶藏起冥頑像寶藏過時的山果）
紅徽的敵機在山頭亂飛，
人民脫開了生活的舊殼，
向新的天日抬起了頭，
晶亮的智慧
鑿開了心的頑石，

54

微笑着聆悟了
時代的啓示，
爲了活命
向自然伸出大手，
爲了生存
更要同敵人戰鬥。
手握起刀槍，
挺立在山頭，
聽他們歌唱：
「我們在武當山上！」

二十八年元月於樊城

「晴天裏一個霹靂」

——寄一多先生——

系念的絲縛緊着我的心，
經過曼長的夏日，
井筒似的冬夜，
眼前柳條又繫住了青春。
我探尋着你，
探尋落在渺茫裏，
（向一片汪洋
探尋一條金針）

56

眞希望有人
對我撒一個大謊：
就說你在大江南岸，
或是在華山近旁。
我穿一身戎裝
立在你的鄉土上，
打開地圖，順着長江，
覓你的家園，
蘄春，一個小黑點，
戰爭在四周畫一個大圈。
你，一位光榮的詩人，

鏗鏘的詩句響澈過多少人心？
你贊美着我們的祖國，
是神工傑作的一幅畫圖，
落地銀河似的大江，
天上滾來的黃河，
像頂天的支柱，
青高的五嶽。
中華五千年的歷史
在你筆下化做一道長虹，
它不敗的光彩，
亮在人類的記憶中。

58

你稱頌着先哲的智慧，
滑稽者的笑。
英雄的心
在你的字行間狂跳。
在祖國面前，
你捧出赤子的血心，
高唱低吟着它的神奇，
彷彿怕人不肯相信。
我知道，你愛中華
因為它是我們的祖國，
你愛它，

59.

因爲世界上沒有一個國家，
偉大，
美麗，
像中華。
（美麗得像一句謊話）
你也曾爲它搥胸流淚，
那是爲了它蹉跎又因循，
它的衰老使人悲傷，
你的眼淚却最純眞。
你流淚但不絕望，
向祖國寄出赤心一顆，

60

等「晴天裏一個霹靂，
迸一聲咱們的中國！」
可是，已經好久，
沉默鎖住你的口，
把愛好從詩境裏拔起，
交給了一堆故紙。
看青春的熱情，
像向寒天下降的水銀柱，
把自己和人羣中間，
築起來一道鐵壁。
從此，生活的顏色

61

同故都溶成一片，
把書香當花香，
「清華園」做了你的桃源。
你所希望的那一個霹靂，
終於在蘆溝橋頭響起，
戰爭迫你丢開北平，
另尋一個新的圈子。
記得在車廂裏我們相遇，
倉惶中彼此抑不住驚喜，
我爲你痛惜那五車書，
你却說：「土地一片片的丢掉，

62

幾本破書算什麽東西！」
你帶着悲憤出走，
悲憤裏應該夾着歡喜。
鬥爭拉長了
別後的時日，
新的中國
正在血泊裏呱呱墮地。
今天，異地的一張報紙，
爲我帶到了你的消息，
帶着幾千青年
向南國作三千里路的遠征，

深入到鄉村，
用戲劇去喚羣衆，
重新拿起了藝術的武器，
烽火點灼了你死去的熱情。
春風吹醒了冬眠的大地，
一切正在炮火下新生，
磨亮你那枝生銹的筆，
祖國等待你新的歌頌。

二十八年三月底於樊城

64

大刀的故事

門後横大刀一柄，
像一條青龍，
血像晚霞的餘燼，
在刀面上點片片赤鱗。

× × ×

白刃捲成犬齒，
多少次的起落，
仇讎的骨肉
把它的鋒銳頓挫。

× × ×

眼光碰在刀光上，
戰地的虎帳裏，
聽一位將軍
講大刀的故事。

× × ×

炸彈炮彈的冰雹，
摧毁了「玉皇廟」的生機，
一坐石砦，
塡塞着瓦礫，
塡塞着尸體。

66

他，大刀的主人，
鑲在尸體堆裏，
摸一下心，心還在跳，
他知道自己並沒有死。
他聽見敵人尖兵
馬蹄的奔騰，
摸一下手溜彈，
在胸前像兩個鋼鈴，
他又扣一下背上的大刀，
大刀還在鏗然的打應。
他腮上灼火，

口不作一聲，
借身旁的血，
把臉洗紅，
眼看敵騎，
走近身旁，
對着眼前的慘景
得意又徬徨，
他突然翻起身來
一聲狂叫，
手溜彈拋過去，
人，一齊傾倒。

68

跑上去，
大刀一掄，
濺着血，
飛起肉，
一片聲音。
敵人的大隊
從東門湧進，
一隻血手
提着大刀，
他大踏脚步
走出西門。

二十八年五月於均州

一百一十四個

——送軍校畢業的山東老同學同鄉游擊——

敵人，
把你們拔出來
像一叢草莽，
從溫小的園地上，
投給無邊的洪荒。
有光輝，
有熱力，
滑下軌道的顆顆星子——

70

從膠東，
從魯西，
從古趙的土壤上
你們
開始流亡。
憑一支舢板
伏下黑夜的翅膀；
憑大海上的輪船，
一身不稱身的衣裳；
擠上最後的一列火車
開一個碧天的頂棚，

71

或是一個人逃向荒僻，
用脚步開一條小徑。
就這樣，
你們告別了黃河，
就這樣，
你們告別了泰山，
就這樣，
你們告別了那大塊黃土，
上面有我們世居的家園。
流着眼淚，
懷着仇恨，

72

心裏站不穩一個希望，
從此把身子交給了動盪。

× × ×

渤海的濤浪在呼喚你們，
三千八百萬同胞在呼喚你們，
齊魯的大地在呼喚你們，
復仇的心在呼喚你們。
祖國在變，
你們在變，
誰敢不刮目相待，
烽火中

73

季節已兩易寒暖。
你們的聲音
像一口洪鐘，
你們的臉子，
是時代的象徵，
南嶽的山石
鍊得雙腿永不知憊疲，
槍筒在手掌上
磨寸厚的繭皮。
偷着不同的道路
逃出來，

74

沿着一條道路
打回去，
你們有槍，
有會放槍的手，
强渡黃河，
衝破敵人的封鎖，
你們是百鍊的鋼鐵，
你們是一百一十四個。

二十八年五月於均州。

生活

淮上吟

臧克家 著

上海雜誌公司一九四〇年五月初版。
原書三十二開。

淮上吟
報告長詩
臧克家著

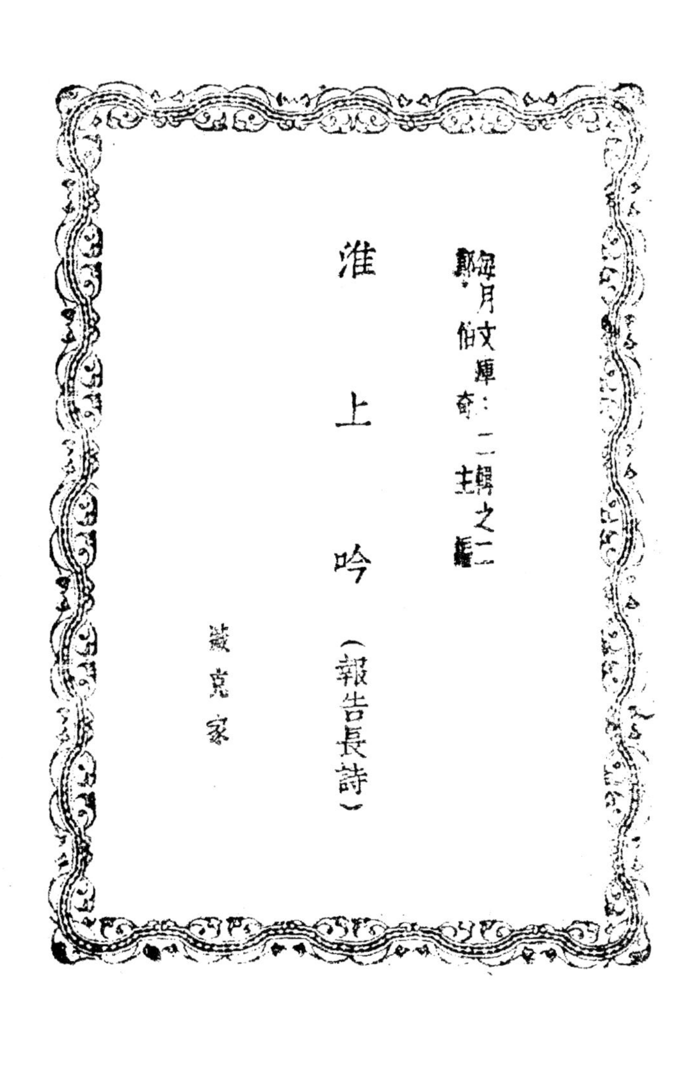

每月文庫：第二輯之二

鄭伯奇主編

淮上吟

（報告長詩）

臧克家

每月文庫總序

鄭伯奇

抗戰以來，文藝各部門異常活躍。許多作家上了前線，很多演劇隊宣傳隊深入到士兵和民衆中間。「文章入伍」「文章下鄉」成了一時的風氣。大衆化的實踐，新形式的創造，使年青的中國文學更跟着抗戰的高潮，更加進步更加豐富。當這時候，優秀作品的出現是必然的事實。但在抗戰初期，因爲戰局的急劇變化，文化出版各機關常在顛沛流離之中。文藝活動的一些良好成果沒有能夠有系統地被搜羅被流傳被保存下來；這不能不算是一個重大的損失。

如今抗戰進展到了新的階段。我們更要發動廣大民衆，增強抗戰力量，以堅持長期抗戰，爭取最後勝利。最近政府頒布了國民精神總動員法，並限期實施，窺其用意，大概也是如此。當然這是目前一個、重要的任務，全國領導者和知識分子都應堅決地擔負起來。但是這樣動員精神的工作，若要開展要深入，文藝各部門的活動，比較其他方面需要得也許更迫切一點。因爲文藝是精神的產物，同時卻也有使精神振作或頹喪，高揚或墮落的力量。在這精神動員的號召之下，文藝工作者必然更要發揮自己的武器，使全國家全民族的精神更加振奮更加高揚起來。年青的中國文學，保持着二十多年的奮鬪傳統再加上二十幾個月的抗戰經驗，一定可以完成這宣傳方面的重要任務，同時也可以達到藝術方面的最高成就。優秀作品的陸續產生是不用懷疑的。不過文藝本身的活動，須得到出版方面的協助，才會有更大的影響。像目前一般出版家對於文藝作品這樣冷淡的態度，不僅文藝對於動員工作不能發生顯著的影響，就是文藝自身活動也要受到嚴重的限制。有計劃地有系統地搜羅優秀的文藝作品，繼續刊行，普遍傳播，這是時代對於出版界的要求。

編者廁身文藝運動的行列，十有餘年，終尠成績，殊深慚悚。當這抗戰緊急的時期，自己既未曾「執筆從戎」，又未曾寫成紀念神聖抗戰的東西，若能搜羅推薦一些優秀作品，對於精神動員能盡一點微薄的責任，多少總可以問心無愧了。適逢其會，上海雜誌公司主人張靜廬先生，站在出版者的立場上，也感覺到有系統地刊行優秀的文藝作品的必要。我們經了幾次商量之後，便決定了編印這「每月文庫」的計劃。

我們的計劃並不大。若說這部文庫能網羅所有的優秀作品，我們可不敢這樣誇口。但是我們的態度並不小氣。若要把這部小小的文庫只給自己的幾個朋友包辦，我們卻也不願意這樣做。按照文藝各部門發展的現況，我們適量地加以分配，每月刊行二三種，陸續地出書下去。我們刊行戲劇詩歌小說，我們也刊行有歷史性的實地報告和有藝術性的通俗作品。我們搜羅優良的長篇，我們也選輯美好的短篇。我們希望新銳的作家出現，我們更希望請求成名的作家參加我們的計劃，我們的態度大概是這樣。

在這偉大的時代這誠然只是一種渺小的工作。但這工作若做得好，對於抗戰，我們相信，很有利益的。因此，我們懇切地希望文藝界同人跟我們合作，更希望廣大的讀者給我們同情的援助和批評。

二輯弁言

鄭伯奇

每月文庫，在艱苦的環境中已經出滿了十種。預定計畫，本來是十册爲一輯，這樣每月文庫的第一輯已經完成了。今當第二輯開始的時候，我們應該檢討既往的工作，以謀改善以後的作法。

單就貨來說，編者固然不必自吹自擂，可是編者終非作者，貨色擺在面前，輿論自有定評，編者更不須替作者作揖道歉。如今，在比發刊時更艱苦的條件之下，二輯還能繼續刊行下去，這事實就證明了已出的十種的成功。

不過作品的成功並不能放鬆編輯上的責任。在發刊之初，我們的態度曾經表明過：

「我們刊行戲劇詩歌小說，我們也刊行有歷史性的實地報告和有藝術性的通俗作品，我們搜羅優良的長篇，我們也選輯美好的短篇。我們希望新銳的作家出現，我們更請求成名的作家參加我們的計劃。」如今，就第一輯的成果檢點一下，不能不遺憾的，是我們的諾言並未完全實現。

作家對於這計劃的熱心贊助，編者和出版者都十分感謝。有些作家尚未賜稿，也許會使一部分讀者感覺到焦躁或失望，不過文庫若能承受大衆的愛護，繼續刊行下去各方面的作家總會不放棄我們而樂於參加這計劃的。編者感覺遺憾的是新作家在這一輯中尚未佔到顯著的地位。這應該歸咎於編者的孤陋寡聞。而新作家大都服務於戰區，和後方比較隔阻，想也不無關係罷。總之，更多地介紹新作家是今後編輯上應該着重的一點。

在第一輯中沒有網羅到通俗作品，編者也深以爲憾事。對於文藝的大衆化和新通俗文學的建立，編者的熱心，自問尚不落後。幾年以前，主編新小說的時候，不揣譾陋，很想給大衆化和通俗文學提供一個試驗的地盤。這回編輯文庫，當然不會忽略了通俗作品。抗戰來，迫於實際的需要，寫作通俗作品的作家逐漸加多，而膾炙人口的通俗作品也不少。論理，編者的希望是容易實現的了。但是，偏不湊巧，在第一輯中，這希望卻落了個空。一方面，因爲文協的通俗文藝講習會有編選通俗作品集的計劃，另一方面，因爲交通不便，編者徵求的作品沒有寄來。這缺憾今後可以彌補的。不過，通俗作品的產量之少，範疇之狹，總還不足適應這時代的要求。而編者因此也不能不感受到困難和限制。希望讀者予以原諒。

至於文庫中，各種作品的分配，讀者中也許會有人提出異議。有的覺得劇本太多，有的或嫌詩歌太少，有的會指出戲劇都是長劇而小說全是短篇。編者對此不欲有所辯白。我們只是依據發刊當初所說的「按照文藝各部門發展的現況，適量地加以分配」如此而已。劇本的比量較多，完全由於劇本的產量多和需要多的原故。文庫中未收短劇，因爲沒有適當的短劇集；未收長篇小說，因爲沒有適當的長篇小說；理由是很簡單的。

過去的檢討就此打住罷，以下簡單地談一談二輯的概況。

大體上，二輯跟一輯是沒有差異的。劇本依然多些，而且都是長劇；小說的比量居次，至少有一部是長篇；詩歌至多不能超過兩部。因爲不是廣告，其他詳細的節目便恕不披露了。

每月文庫

承作家的懇切的贊助和讀者的熱烈的愛護，文庫在一輯完成之後又繼續刊行二輯，編者自然是非常愉快而同時也很感激。希望各方的盛意有加無已，文庫能追隨着抗戰建國的巨輪，一輯又一輯地，長此繼續下去。

〔8〕

淮上吟

前記

去年四五月間，隨・棗戰事正劇烈的時候，我在火綫上生命從槍彈砲彈的縫裏漏了下來。後來又被敵人包圍了整整跑了十天兩夜，才達到了安全境地。

去年七月間到敵人後方——安徽去，三個月的時間跑了三千里路。

把這長征所得的長詩——走向火綫，淮上吟合在一起，成了這一本詩集。

二九年三月十一日臧克家誌于老河口

淮上吟（報告長詩）

走向火綫

一

警報聲中
度過了淸明，
襄樊的春色
同江水共濃，
炸彈底下
大地在攣痙，
怕嗎?
我們用行動給它一個反證。

淮上吟

襄江托起一葉扁舟，
我們戎裝立在船頭，
遠山排就了
偉大的行列，
用莊嚴與沈默
壯我們的行色。
浪頭打碎了
心頭的枷鎖，
春風的剪刀
嚮在亂絲的心窩，
活力
撼得身子擺動，

〔16〕

像是楊柳
搖著東風。
小舟雖沒白帆的翅
順水推船到張家灣，
回首十五里路的途程，
彷彿沒有通過時間。
江面的桅杆
是霜秋的林木，
浮橋的刀片
把江水腰斬。
江岸上
搭起個茶棚，

淮上吟

過往的客人
在歇脚聊天，
一杯淸茶，
一臉大汗，
衣襟做了
取涼的團扇。
頭頂上
飛機嗡嗡，
我們拿它
當耳邊的蒼蠅，
敵人想用它的翅膀
牽著恐怖游走，

〔18〕

老百姓却比它
做一隻無賴的瘋狗。

二

二月的麥浪
已掩過烏鴉，
春地裏
老牛拖著犂耙，
戰烟已兩度
燻黑了春天，
民衆的生活
却越來越穩安。

淮上吟

公路闢開
青色的郊原，
它引領我們
走向火綫，
脚步在急遽的跳梭，
我們在春風裏放歌，
像在比賽著勇敢，
誰也不甘心落在後邊。
汽車一列向前方奔馳，
像是一條滾動的龍蛇，
軍實塡飽了它的肚皮，
拖著一條塵土的尾巴。

【20】

一眼太陽，
遍地金光，
桃花一行，
菜花一行——
一針紅線，
一針黃線，
刺繡出
一幅錦繡的河山。
敵人放飛機
到我們的天空，
戰地上的兒童
也放起風箏，

在炮火下誕生，
在炮火下長成，
誰怕訂
百年戰爭的合同？
到處蜿蜒
戰溝的龍蛇，
翻起的土花
是片片金甲，
年老年幼
一齊動手，
陽光閃著
鋤頭𣚀頭。

黑色脊梁上
汗水發明，
起落著胳膀，
起落著歌，
他們不是在挖戰壕，
他們替敵人
在掘著墓穴。
兩個竹筐，
一條扁担，
生命的全力
縱上右肩，
婦女

也在爲祖國流汗，
一筐倒下，
一筐又填滿。

三

趕到雙溝
帶一竿夕陽，
七十里路的勞頓
墜在腿肚上，
生活
糾成一條粗線，
勞動

把人的胃口裂寬。
雙溝給公路
打一個結，
又像一座碉樓
東向烽煙，
三十萬大軍
出擊隨縣，
它日夜睜大著
張望的雙眼。
疲勞釀成
一夜酣甜，
春鳥的碎語

叫破了睡眠，
一團濃紅，
一輪淸淡，
朝陽同曉月
各在一天。
迎面走來了大隊人馬，
紅的「武」字綴在臂上，
他們都是游擊隊員，
便衣雜在戎裝中間。
大馬馱著
他們的司令，
十幾歲的孩子

執著馬鞭。
他們有家鄉，
敵人給強佔，
他們有妻子，
敵人給強姦，
牛馬生活
男兒沒臉，
一條身子，
一條鋼槍，
親戚友朋
打夥兒幹。
有的髭鬚

盤結半臉，
有的身子
高不過槍杆，
槍比人多，
槍比人齊，
可以稱得起
是父子兵團。
（留在家鄉的親故，
把槍做了贈別的禮物）
走出息縣，
經過潢川，
信陽城下

同敵人會戰。
幾十輛土車
碾著道路，
車上塡塞著
他們的軍需，
破爛的衣被
細在一邊，
上面浮起
片片雲烟，
一眼看去
就可以知道，
孩子的尿水

淮上吟

曾經泛濫。
潺潺的溪水
是春的琴絃，
梨花掉下了
二月的雪片，
清香借了
東風的媒介，
沾住衣襟
再也不肯散。
路旁的大樹
留住一家人，
逃避災荒

四方流浪，
逢人便問中原的消息，
打走鬼子好回家鄉。
幾天沒得粒米入腸，
氣力把話音送不出喉嚨，
走遍了天涯
無處不烽火，
憑自己的可憐
換人家的同情。
筐子裏躺著三歲的嬰兒，
惹人愛的一個天使，
他的媽媽却這樣哀求：

「抱走他吧，
這累人的東西！」

四

朝曦
把人送上征途，
夕輝
把我們接到齊集。
半截土圍牆
圈住六十個家庭，
六十個家庭裏
亮著五十盞煤燈，

兩條觔筋
挑一個瘦頭，
竹槍吸乾了
人的髓精。
光禿的崗嶺
沒春樹發芽，
稀黃的麥苗
像死人的頭髮，
（這，你能埋怨
大地生殖的力量？）
寧願對著紙人——
消磨春光，

不肯荷起鋤頭
田野裏多走幾趟。
出門就犗，
出門就尿，
一條大街
又臭又臊。
救亡團體
在後方擠擁，
一張標語
在這裏也鮮明，
民衆守著
生活的舊圈子。

政治的力量
沒有把他們拯起。
出擊浙河，
圍攻應山，
春風把勝利
吹到天邊，
一個消息，
千萬顆心跳動，
在這裏，
我看到了掛彩的弟兄。
身下的稻草，
溫柔放香，

紅十字被，
把光榮蓋在身上，
一霄停留
換藥休憩，
齊集做了
棲息的一枝。
他們說著悲壯的故事，
忘了創痛半支著身子，
話頭把戰場
拉到了眼底，
屋裏的空氣
頓失了靜謐。

我們用暖語
溫他們的心，
我們的暖語
引出了壯語：
「希望傷口一天就好，
好再趕到火綫上去！」
我們的戰士這樣勇敢，
把敵人的卑怯比照著看：
人人懷着一寸木棺，
放一條火柴當做尸體，
他們向著鬼神祈禱，
祈禱叫它替自己死。

他們怕中國會要再生，
因為首都遷到重慶，
對自己的命運他們害怕，
「昭」字明明是日在刀口之下。

齊集去棗陽
路程二十，
棗陽，
是我的舊遊地，
焦土代替了
當日的榮華，
三天
遭了十五次敵機的轟擊！

近郊的鄉村
也落了炸彈，
平安的日子
被敵人攪亂，
一堆一簇
在郊外徬徨，
希望從天上摘去太陽。
欲雨不雨的春陰天，
我踏上齊集的郊原，
清風在綠海上拍起漣漪，
幾個莊稼人在葬埋戰士。
鐵鍬托起

溼潤的土塊，
墳頭頂上
朵朵黄花。
他住在江南，
你北國有家，
爲了一個目的
衝鋒廝殺，
肩頭御下了
自己的責任，
沒半點遺恨
在這兒一齊躺下。
嚨嚨的大炮

爲你們下葬，
英名同黃花
千古芬芳。

五

離去齊集
在雨中進行，
一層爛泥
平地滑冰，
脚下墜著
沈重的分兩，
溼潤的春天

駄在背上。
大路上
來了傷兵一行列，
地上有血點
却看不見人面，
身上打著一條雨布，
有的蓋上一牀軍氈。
將士流血，
百姓流汗，
担架壓上
民衆的雙肩，
拿這事實

做個例證，
軍民合作
不是句花言。
四方的小徑上
行人蹣跚，
趁著細雨
走向這死的城圈，
背著包袱，
攜着孩子，
黃昏歸來
像一個偷兒。
雨滴打著

冷落的大街,
半開半閉
家家的門板,
有意給死城留一口殘息,
叫販的呼聲一落一起。
河水唱著黃昏的歌,
暝色已把天地結合,
軍帽的舌頭吐著水珠,
航著夜海,失去了眼光的舵。
遠處的電筒
放出警戒的目光,
一陣犬吠,

叫得人心慌，
從煞黑
摸到更深，
把一天夜雨
帶到一個農家。
背上的汗水
交流著雨水，
同一位將軍
對燈夜話。
三間茅屋供他安息，
他說自己是悶在甕裏，
舊的新聞

淮　上　吟

翻做新的消息，
戰地文化
是一片荒磧。
電話耳機
是他的情人，
無時不對著
地圖出神，
像在同敵人賭一局棋，
千滴心血下一個棋子。
南口的山頭上，
寫著他的英名，
台兒莊的勝利

留給他一份光榮，
幾萬健兒
南北馳騁，
敵人是枯草，
他們是颶風。
敵機炸碎了他的住室，
再來換一所新的房子，
將士效命，祖國危難，
個人的休戚放在一邊。
他把敵人比一隻猿猴，
割破頸項紅血直流，
我們也同樣陪著流血，

看看誰能夠支撐更長的時候。
我們趕著訓練新兵，
不問天雨還是天晴，
大片原野綠色籠罩，
原野上響著救亡的歌聲。
舊的打完，
新的補充，
我們的人力
大到無窮，
他們請求早上前綫，
不願在這裏空磨時間。

六

走過棗陽
才走斷平原，
迎眼拔起
一列青山，
青山根下
便是戰場，
一口石棺
把敵人埋葬。
翻不斷的崗巒
像不敗的石花，

淮上吟

一朵赭紅，
一朵天藍。
晨風的冷翅下
穿一身棉，
正午的太陽裏
換一身單，
一天日子兩個節氣，
「二八月裏亂穿衣。」
一個村落
三五戶人家，
門前橫一塘春水，
千竿綠竹

〔60〕

抱幾樹紅花。
水堰裏
麥苗蓬生，
不見插秧，
先見春耕，
臉前的春光
只是一片，
却一眼北國
一眼江南。
十幾尊炮口
向著東方，
炮車的鐵輪

十丈深坑！
身子走近了唐縣鎮，
一道清流攔住了行人，
悅耳砧聲，
却見不到浣女，
只隔一條
煙柳的籬攏，
淨明舖
給我一夜安眠，
汚穢零亂，
把人眼塡滿，
傷兵難民，

淮上吟

東倒西躺，
這裏已爛熟了
戰地風光。
涉過三家河的一流淸淺，
厲山的城堞影到眼前，
楊柳撒開了美人的散髮，
十里綠陰籠住沙灘。
厲山新近落過炸彈，
彈坑的沿上擺起了貨攤，
四鄉的莊稼人
忘不了早市，
一担筐子，

〔84〕

趁著朝曦，
濡溼了褲脚，
泥巴的雙腿，
帶水的菜葉
又嫩又肥，
這裏的土地阡陌連雲，
連雲的土地有它的主人，
它的主人不勞而食，
手裏握著一大捲文契。
這裏的農人生活賽黃連，
手脚不停勞動終年，
現在已經開始挨餓，

淮上吟

用樹葉打發這個春天。
「押櫃金」換得田地到手，㈡
高利貸張著血的大口，
看禾時節地主那副臉，
最怕要命的那一張「菜單。」㈢
他們已有了自己的集體，㈣
担架，游擊，供出全力，
抗戰對他們
有雙層意義，
解放了民族，
也解放了自己，
隨縣的「黃學會」

〔56〕

像一陣風，
捲去了男女
數萬羣衆，
一柄大刀，
一條黃巾，
念咒打拳，
像一羣瘋人。
他們一致反對「保甲，」㊄
「保甲」是他們的一具枷鎖，
清匪，抗日，保衛家鄉，
他們要安定，他們要生活。
他們憑著素樸的腦子，

生編出荒誕可笑的故事，
翻過來把故事當眞的看，
把他們的「老師」說成個天仙。
借著教門復興民族，
揭開史葉條條可數，
需要宣傳，
需要訓練，
粉碎迷信
用理論的鐵鞭。
需要組織，
需要領導，
把這個力量

拉上抗戰的光明大道。

七

披一身煙雨

離開|厲山，

臉前的近山

連起遠山，

峯頭的靑松

像前衞的哨兵，

擎一把綠傘

在守望著江山。

一步高起，

淮上吟

一步低陷，
起落的崗巒，
把山徑扯成一條曲線。
飄飛的雲片
像古舊的篷帆，
駁著長風萬里
駛在茫茫的天海間。
煙雨給山色
添了幽深，
遠村的樹梢上
掛起白雲，
朦朧的美，

〔60〕

朦朧的靜，
朦朧中的春色
更多姿容。
雨裏的飛機穿著雲層，
像是一隻迷途的蒼鷹，
東邊的大炮
地裂山崩，
西邊的炸彈
震得耳鳴，
炮彈炸彈
呼應不絕，
緊緊的拉滿了

淮上吟

一張心弓。
山頭上工事的網繩
到處亂牽，
織成一幅八陣圖，
圍護住脚下的塔兒灣。
空心的戰壕
給春水暫住，
機槍陣地
頂一個土帽。
四圍山光
困住一片平原，
兩條川水溫柔的手臂，

〔62〕

把塔兒灣抱在中間。
塔兒灣去火綫
只十五里路遠，
這裏的街心，
炸開過炮彈，
馬鞍山上的大炮
向這裏張著口，
老百姓照常生活
誰也不逃走。
他們也曾逃過難，
逃難能把田地担上肩？
流亡道上艱苦崎嶇，

逃難能把腸胃紮住?
他們信賴自己的軍隊,
他們全把敵人看扁,
家鄉雖是枕著戰場,
敵人彷彿遠在天邊。
火綫上
有抬不完的傷兵,
他們有
磨不薄的雙肩,
乘著夜色,
穿過山徑,
我們的弟兄

夜夜摸敵營，
老百姓自願夾在中間，
三槍兩槍打著好玩。
對岸的農人
過河來春耕，(六)
失去了土地，
沒失去群衆，
請這邊的弟兄
「清明」去吃酒，
明月照著戰士回程，
一路歌聲
播散著歡快，

敵人的大炮
空響幾聲，

八

三面青巒
展開一幅扇面，
萬家店
就壓在青山下邊。
這裏閃爍著一顆將星，
他曾放夜火燒紅過馬坪，
一個命令
天地變色，

敵人的命運
握在他的掌中。
遍地野花
一片紺黃，
像天上掉下來
朵朵星光，
晚風吹著鬃毛飄盪，
夕陽裏浴著半山牛羊。
山間有綠竹，
山間有青松，
樵夫的脚掌
磨亮了石徑。

淮上吟

山上有泉響，
山上有鳥聲，
有蝴蝶的飄帶
牽一縷東風。
山上有喝操的口令，
山上有救亡的歌詠，
大時代的呼聲
叫破了桃源的寧靜。
去年此時，
看過台兒莊上的桃紅花似血，
今年此日，
看見戰地上的牡丹像血紅。

（ 68 ）

這兒的難民多似牛毛，
在飢餓中受著煎熬，
敵人佔去了他們的家鄉，
不甘心同土地一道淪亡。
他們自口描繪的命運，
使人淚流使人氣憤，
暴手把人推入困苦，
暴手不能抓住人心。
這裏的軍民
結一個同心，
戰壕裏弟兄
百姓去慰問，

帶一隻母雞，
幾個雞蛋，
帶一束油條，
鮮嫩的菜苗，
家常禮品，
家常的話，
戰士的心間
充滿了溫馨。
一隊青年
在戰地上拓荒，
拓荒的工具
是犧牲和吃苦，

走向火綫

一個行動，
跟一句諾言，
豎起信仰
在軍民之間。
走進戰壕
變一個士兵，
深入農村
變一個百姓，
時代的兒女
站在最前綫，
把虛榮和身分
扔在一邊。

淮上吟

我們在戰地上聯歡，
大家的身子打一個圈，
一叢綠樹爲人張蓋，
敵機窓在頭頂打旋。
各人唱出自己的姓名，
每個名子都是陌生，
抬頭望望每一張臉，
臉上浮著親熱的感情。
爲了戰鬥
我們才相識，
爲了戰鬥
我們來這裏，

〔72〕

一樣年靑，
一樣勇敢，
戰鬥裏的友誼
鋼鐵一般。

九

我跨上一匹大馬，
在春風裏揚鞭，
馬蹄撒在石徑，
帶起一串清脆的響聲。
山後裏，
炮聲隆隆，

淮上吟

水田裏，
撒下稻種，
走向戰場
馬兒也興奮，
昂首頓足
一陣嘯吟。
馬背上
春風吹飽了衣衫，
汗珠像毛蟲
爬得人難堪，
飛起馬蹄，
伏下身子，

〔74〕

耳邊蕭蕭，
一鞭十里。
「界河」的清流裏，
兒童在捕魚，
馬蹄
濺了我一身水珠，
立馬中流，
轉過了臉，
一脚|隨縣|，
一脚|應山|。
|界河新店|
這一座石砦，

淮上吟

三十天前
敵兵曾佔領，
冷落已被敵人捲走，
街心開著一片繁榮。
難民守著裔裝的仇貨，
蠅頭小利，半死的生活。
犖山叢中
扎一座營帳，
一樹桐花，
半谷幽香，
四十里連山，
大兵在把守，

〔76〕

我們的山頭
對峙著敵人的山頭。
望遠鏡移近了王家大舖,(十)
身子借了松枝做掩護,
敵人見不得一個人影,
不值錢的大炮嚮不絕聲。
一條小徑
像一條直線,
登上娘娘廟
趁落輝滿山,
羣峯在我脚下低頭,
滿臉汗珠清風給掃乾。

淮上吟

滿地瓦礫
在夕陽裏做夢，
滿眼焦土
想一場火紅，
拍拍胸膛
一聲長嘯，
滿腔的豪情
掛上「大別」「桐柏」的高崖。
我們的戰士
依著女牆，
槍口
向著敵人的方向，

〔73〕

不放鬆黑夜，
不放鬆白晝，
用鮮血奪回，
用生命死守！
月光下我們在用夜飯，
敵人又打照例的晚炮，
夜間的牀上
按下倦身，
却放出一個
警戒的心。
滿眼清新
一夜醒來，

淮上吟

山頭的煙屏
炮火給打開。
早晨的山徑
送難民回程，
他們回家
打算春耕，
聽到鬼子慘酷的行狀，
停下步子愁苦又徬徨。
一樣的星光，
一樣的月明，
走向火綫，
兩樣的心情。

〔80〕

山泉
在溢動，
夜犬
在警戒，
心胸
在激響，
戰馬
在嘶聲，
還有那萬壑青松
在月色裏
佈滿了疑兵。
火綫下的農家

淮上吟

深閉了柴門，
飯後夜話——
琅琅的聲音，
抗戰
壯大了他們的膽，
聽慣了槍聲，
聽慣了炮聲。
森林寺臥在月光底下，
遍地都是炮彈的創疤，
敵人拿它做了目標，
有事無事日夜發炮。
丁丁伐木，

山谷有聲，
趁著夜間
把工事完成，
白天脫不開
監視的敵人，
戰地春宵
一刻千金，
火綫邊沿上
一座瓦房，
槍孔炮孔，
遍體鱗傷，
屋裏

淮上吟

充溢著恐怖和陰森，
陰森裏
透出來慘痛的呻吟。
借一支火柴
把黑暗照破，
一個創傷的農人
在牀上仰臥，
被套掩沒了他的傷口，
刺人鼻孔，一股腥臭。
懷著氣憤，
帶著勇敢，
飛起步子

〔84〕

跑上第一綫。
這裏距敵人只二百咪，
王家大舖送來個影子，
腳下的莊村裏
活動著敵人，
鷄犬歌吹
清楚的相聞。
子槍在頭頂颼颼連發，
照明彈在半空開一朵曇花。
我們的戰士
穿著棉衣，
流汗流血，

淮上吟

在戰壕裏，
他們日夜
監視敵人，
一日一餐，
鐵的精神！
一個目的，
一個方向，
以炮還炮，
以槍還槍！
隔一座山頭
成兩個天地：
一邊是殘暴，

一邊是正義，
一邊是侵略，
一邊是眞理，
我們要自由，
我們要解放，
甘心把白骨
叫青山埋葬！
祖國要翻身，
民族要再生，
我們用鮮血
把戰場染紅！
拂曉攻擊，

淮上吟

戰烟迷濛，
一輪朝陽
壓到羣峯，
中華的大地
萬里光明。

（廿八年五月廿九日默成於均縣）

㈠紙牌。
㈡即攬約錢，每石田要三十餘元。
㈢禾熟時，地主下鄉看禾的成色以定租粒之多少，同時開一張價值昂貴之菜單令佃農預備。
㈣「農民抗日會」在厲山一帶有羣衆萬餘。
㈤因反對不良的保甲長，變成反對保甲了。
㈥浙河。
㈦王家大舖為敵所据。

淮上吟

淮上吟

一

拔腿於生活的淤泥，
在險阻的道上躍足，
爲了挑破一個神祕的夢，
不憚長征三千里。
三伏尖上太陽礫金，
影子籠不住一條濃蔭，
大地是一個渴死的鬼，
垂誕人臉上的一點汗水。

淮上吟

高粱的金粒
在眼裏閃光，
大豆葉子
輕搖着綠掌，
北方的原野是無底的海，
原野上燃起烽烟十丈。
五里一草棚，
十里一茅店，
四方行脚人
共一席淸蔭，
對面不相識，
彼此却相親，

〔92〕

一碗茶，幾句話，
一轉眼，一個人一個天涯。
爲抗戰奔忙，
爲生活流汗，
幾個有福人足不出戶，
作六月天的活神仙？
登上南陽的「臥龍崗，」
崗上臥一條人龍，
一間茅廬承漢帝三次殷勤，
半晌話定住了天下三分，
爲大漢嘔心，
盡瘁鞠躬，

淮上吟

腐朽的是血肉，
不朽的是靈魂，
「白妞鎮」上
「故事橋」邊，
一個美麗的故事藏在中間，
一個醜妞子
一夜成嬌花，㈠
家鷄變鳳凰
飛上最高枝；
橋上的鳳鳥要拍翅升天，
它曾舞破正德的天顏。
徘徊在「汝墳橋」頭，㈡

〔94〕

吟哦着汝墳詩，
從汝水的逝波上
想一個美婦的影子，
柔手攀着柔條，
沿着大堤脚步遲遲，
像飢餓想念茶飯，
她向愛侶拋去相思。
今天，國家燒在烈火裏，
壯士齊上疆場殺敵，
婦女留在父母身邊，
跑到坡下兼把鋤犂。

二

淫雨洩下天上的水，
沙河的黃腰一日漲肥，
風浪像千萬條縴繩，
拉着木船在水面上飛。

盛夏的景色
任岸崖推移，
滿腹清爽
一口呼吸，
雙脚踏上
「漯河」的大地：

落輝裏的長帆
掣一面旌旗。
「郾城」是織女，
「漯河」是牽牛，
一條水
把他們拆散在兩頭，
織女守着淸冷，
牽牛抱起繁榮，
戰爭不到的地方，
空氣洋溢着昇平，
站台上，
車輪子不再碾得大地暴跳。

淮上吟

聽不到
汽笛的尖音壓倒叫囂，
一條條鐵軌，
像一條條長腿，
走向西北，
走向西南，
臥在冰天火天上
接起我們的國際路線，
這裏只剩條剔骨的土龍，
田禾野草在背上叢生。
我們有力量
叫滄桑化身，

先人的巨手
曾建起長城抵擋胡人，
敵人兩年的苦心
同炮彈一同空費，
今天，到淮河邊去，
還讓我跨過這條線，
腳步奮飛。

三

像孩子的眼淚——
這六月天的雨，
席大的一片雲，

也會抛下一串水珠，
多嘴的波濤
給人解寂寞。
雙槳在水面上
點起朵朵笑渦，
過「逍遙鎮」—
身子在船上逍遙。
忽然漫天黑，
白點子雨打得席棚亂叫，
席棚就是我們的天空，
它把雨水直洩到艙中，
船在抖顫，

淮上吟

風在猛撼，
陡起又跌落，
浪頭像山，
恐怖拉來個荒郊的夜，
緊緊抱住了這條木船。
周口，天下口，(一)
看眼前的形勢，立在橋頭，
兩條水分開三個鎮市，
心上迸出個武漢的影子，
人流穿着榮華的街市，
仇貨高標着賤價出賣自己。
船過「周口，」

黃濤一眼望不盡，
洶洶的氣勢
要把半壁山河鯨吞，
村莊變成小島，
高樹挑三尺綠梢。
黃河百害，
幾百萬人民半生死，
但賴它拒開敵人，
扭轉過抗戰的情勢。

四

「界首」——

淮上吟

負水的一座土城，
彈丸一點
界開了兩省和三縣，
它是一個漏巵
直插到敵人那邊，
從亳州，從宿縣，
仇貨湧來排海倒山，
拋開民族只看重金錢，
路上的謀利人接踵摩肩。
天津貨，上海貨，
擠在一個貨攤，
看到眼裏火冒三尺，

公然標着 Made in Japan.

城裏歸安徽，

西關屬河南，

仇貨長着脚，

法律却給檢查員劃一條界線。

西關儘向荒郊伸脚，

一天一個新的繁榮，

平地添了棚房千萬間，

還累得貨物躺在露天中。

晚上，船上的燈火

同岸上的燈火互映，

人聲歌聲呼應著水聲，

貨交出去，
錢接過來，
一天六十萬元
川流在人的手中，
貨登上木船，
把船身壓得同水面差一綫，
它走上大路，
向洛陽，
向西安，
直下蘭州
也不嫌遠；
走到河口，

走到漢中，
只知道打個人的算盤，
國難財把奸商的荷包塡滿，
他不管一件仇貨，
可怕過一顆炸彈。
（炸彈把紅血炸個滿眼，
仇貨却裝一副媚人的笑臉。）

五

一雙槳
像時間的長足，
搖走了黑夜，

淮上吟

搖來了太陽，
轉眼又搖出一天星光，
船尾拚斷了河南的界線，
船頭銜入了安徽的胸膛，
穎州郊外穩住船身，
四面水把城垣困在垓心，
坐在城牆上探腿洗腳，
屋脊像魚羣掠船而過。
（一篙深，
一篙淺，
二十里水路，
一日的時間。）

樹上架屋，
家浮在水皮，㊃
飢寒迫人，
秋風已起，
紫泥不能團做口粮
黃水不能剪作寒衣。
潁州，炸彈毀了它的顏形，
舊的死去新的誕生，
林立的學校招來萬千青年，
文化同繁星一樣的燦爛，
戰鬥的槍桿，
戰鬥的筆桿。

戰鬥的心
是鐵的一圍。
皖北十縣拱衞着它，
怕什麽敵人陳兵三面。
（神祕的夢現實給打破，
我這後方的來客覺得紅臉。）
城根下拜過劉錡的廟，
他曾在城下大敗金兵，
歐蘇在這裏留了遺愛，㊄
一座茅亭浸入水中。

六

渡過淝水

北向「渦陽」城，

想當年，

謝安閒敲著棋子，

勝利傳來像一陣風，

直到今天東去的濤浪，

猶作人頭落水的響聲。

沿途的農人割著秋禾，

蟈蟈叫出四野寧靜，

人臉上看不出戰爭的驚擾，

農村在做著秋天的夢。

一帶地形，一片風景，

把我引到了自己的鄉井，
故鄉幾千里呵，
故鄉在戰鬥中。
渦陽城，
去年被過敵兵，
十間房子十間沒有頂，
至今還是半邊衰落半邊空。
（焦黑的斷牆上
血紅的標語，
強有力的質問：
「是誰炸燬了我們的房屋？」）
老百姓擠在庫房的窗子外

爭著完糧，
三項運動
廣播著力量，㊅
一面小白旗插在路旁，
一個壯丁持一支紅的纓槍，
他盤查貨物，盤查行人，
不叫漢奸同仇貨漏網。
行新政，用新人，
把腐臭的空氣化成清新，
十幾歲的女鎮長把著政柄，
見人腮上漲一星紅潤。

七

沿起渦河

東去蒙城九十里，

九道公路，

一帶水裙，

圈起城垣

擁他做軸心，

十七個月前

就在這地方，

五百條長矛，

三千支鋼鎗，

淮上吟

軍民一齊下手
抵過十萬敵軍。
野戰，巷戰，多少個晝夜，
肉搏，衝鋒，嘶啞了聲音！
用肝膽塗成精忠二字，
生命與城池同歸於盡！
敵騎直下豐沛蕭碭，
徐州突圍十萬大軍。
「莊子祠」旁弔烈士的墳塚，
滿眼蓬蒿招搖西風，
抹殺兵將，
不分軍民，

【114】

四千架骷髏

共黃土一坏，

（像生前共一個同心）

火口把肉體嚼成灰泥，

幾十根手骨上穿一條鐵絲。[十八]

夜夜聞陰兵，

義氣不泯，[十九]

我爲烈士賦詩招魂。

千古傳佳話

人人說莊周，[廿]

壯士同哲人

各一個千秋。

淮上吟

漆園的故里，
無根的神話蓬生，
「劉仙廟」負一面八角古井，[十]
水味清苦忽然又甘甜，
一繩清水他戲過金蟾。
（這井水，
能叫一個黑心變成良善）
十三級寶塔
已壽延千年，
一根繩索
「張拉塔」從郊外把它拉進城圈，[十一]
炸彈曾在周遭落雨，

它却安然挺身向著青天。
邊境的猳山上
突起猳煙，
蒙城的榮華
被炮聲震殘，
武裝的軍民都跑上戰場
徒手的老百姓慌做一團，
昨夜月下激昂的歌聲，
換上母子互喚的悲鳴，
車馬往返揚一天黃塵，
一刻的時間盜空了城心，
中傷的烏兒

聽不得拉弓，
十里村莊去年那把火，
還在他們的眼裏發紅。
立在城垣上南望正陽關，
七十二條水貫穿在它身邊，
敵人像潮水
湧來又逝去，
靑天白日的大旗
該飄在百尺高竿。
淮河岸上去年的戰場，
寇兵的血，河水流紅，
淝水淮河遙遙輝映，

謝安的子弟，抗日的英雄。

八

大別山，似聽從了一個命令，
羣峯一齊渡過淮河，
任意縱橫東西千里，
像千百萬無敵的雄兵。
桐柏山，
大洪山，
是它的左右手，
身子追著大江東去，
聽不絕的江湖日夜奔流，

淮上吟

去年秋天，
敵人闖進這山窩，
在人民心頭留下了創痛，
青石上也沾染了寇兵的血紅。
（千年的古樹一火成灰燼，
今日的焦土昔日的山村！）
眼前嚴霜又把山樹染紅，
山谷隱藏著我們的精兵，
敵人吞蝕的地方
不給它時間消化，
我們的游擊隊，
不分晝夜從西到東。

〔120〕

大別山，
它曾捍衞過武漢，
（這石頭的屏風）
而今，戰爭把它撇在後邊，
但它並不懼恐，
同太行山，
同呂梁山，
同冀察，
同蘇魯，
遠近呼應。
它巍峨的體軀，
就是堅強的抗戰堡壘，

淮　上　吟

反揚蕩，
進攻，
要敵人的屍體塡滿谷坑。
你看，電線的動脈
在風前抖動，
山頭上的砲壘，
頭對頭默不作聲。
商旅帶著不同的貨物，
青年穿著不同的戎裝，
爬著同樣的山徑，
隨著無數的峯巒去朝立煌。

〔122〕

九

立煌，
置身萬山叢中，
雞鳴犬吠聽三省，
它是一個巨人
壓在豫鄂皖的邊境。
「金家寨」是它的前身，
千百萬條生命
改變了它的名稱，
現在，新四軍把守著江岸，
在一個命令之下行動，

只有殘破的標語
還寫着過去尖銳的鬥爭。
立煌，
為了躲開飛機的眼睛，
在山半腰，
在小徑旁，
它化身千萬間草棚。
草棚裏，
話劇刺激着觀衆，
草棚裏，
歌聲燒灼了熱情，
草棚裏，

訓練着成千成萬的幹部，
個個像石頭一樣的硬堅。
山頭上
機器日夜轉動，
山頂上，
排字工人熬紅了眼睛，
把空白的紙頭
塡上正義的內容，
散到鄉村，
散進戰壕，
槍桿筆桿排成一行列，
擊破敵人文化的進攻。

清早的雲霧把山谷抹平，
一聲軍號叠峯驚醒，
朝陽的紅脚踏上山頂，
立煌，投進了戰鬥的胸中。

十

告別了立煌，
青山殷勤送行，
整整兩三個晝夜，
沒有看見一面完整的天空。
山村的夜裏
一天星花，

四周的山巒
像萬千精靈，
犬吠一聲，像托身荒古，
給人多少詩的豪情。
到了商城
我不認識商城，
商城，
那裏是這副面容？
空街上堆着瓦礫，
斷牆上夕陽發紅，
合起眼想一團熱烈，
睜開眼看一片淒冷。

淮上吟

我們的工作室，
（同志們的心血流在這裏）
敵人的馬糞遺臭，
清幽的小院落，
（它該有一個鮮亮的記憶）
牆壁給炸彈打裂了口。
二三舊相識
辨清了我的風塵臉，
歎口氣，搖搖頭，
相對多時張不開口。
門前的石獅子
倒在黃昏中，

〔128〕

一肚子氣憤，
眼睛賽兩個銅鈴。
人民生活在山間，
說他單純他却強悍，
欺侮一日臨頭，
寧願死也要回手。
寇兵過境的時候，
他們把守在山口。
留下敵人的槍，
留下敵人的馬，
留下敵人的死屍
滿地如麻。

十一

走在去潢川的途中，
在替潢川繪一個影：
那座大木橋
連起南北城，
（像一隻友愛的手
牽著兩個弟兄）
現在，也許斷欄干
像殘廢的胳膀插入沙河中；
沙河，在落霞如火的時候，
送來過大的帆影。

把一個慰安，一點閒情，
送給傍岸茶棚裏的武裝弟兄。
而今，它怎樣了？
它在嗚咽吧？
它在怒吼吧？
敵人的馬嘴
給它的沾污永洗不清。
「新民會場，」
「青年軍團」五千男女
朝會的那地方，
每天，天天不破曉，
人脚踏碎了黑影，

歌聲叫破了肅靜，
一顆顆發光的眼睛
仰望著飄飄的國旗逐紅日高昇。
而今，他們都分散了，
負著時代賦給的使命，
分散到游擊隊裏去
做一個先鋒；
分散到鄉村裏去
組織民衆，
堅苦，
（幾乎超出了人情）
奮鬥，

（爲了祖國的新生）
個人打算
不放在心中。
而今，他們有的已經犧牲，
犧牲在徐州突圍，
犧牲在敵人的槍口下，
犧牲在病魔的折磨中。
我提著心走進潢川，
潢川却向我道一聲平安，
只有滿城的標語
被敵人刷洗個乾淨，
你說這夠多麼愚蠢，

他不知道，最有力的標語

就是每一顆中國的人心。

走上歸途

步出潢川城，

走盡了炎東

三千里途程，

出來的時節，

太陽像火，

送我歸去的

是如剪的秋風。

〔一九三九年十月六日完成〕

㈠故車橋，白妲鎮，在鄧縣境，相傳正德皇帝差下選採正宮的使者到該鎮時，有一醜女一夜變成白妞，中選入宮正德且曾駕臨該鎮，至今尚有一橋雕刻甚精橋，畔有石碑上書「故事橋」三字。

(二)在葉縣境。

(三)周口商業繁盛有「周口，天下口」之諺。

(四)災民寄身甕中浮水上，或以木爲家。

(五)歐陽修，蘇軾曾官穎州。

(六)完糧，維持法幣，肅清漢奸，謂之三項運動。

(七)敵人浮我軍民以鐵絲穿手腕，環成一圈，中焚烈火，血肉成灰，而鐵絲依然貫穿骨間。

(八)至今城內夜間時聞衝鋒廝殺之聲。

(九)莊子與殉國之周副師長元也。

(十)俗傳戲金蟾之劉海也。

(十一)張拉塔即張三峯爲下八仙之一，曾學道于武當山。

每月文庫二輯之二

淮上吟

著作人　臧克家

主編人　鄭伯奇

發行人　張靜廬

發行所　上海雜誌公司

重慶・宜昌・昆明・桂林
柳州・金華・寧波・上海
香港・成都・漢中・西安

實價八角五分
(外埠酌加郵匯費　成)

中華民國二十九年五月出版(A)

No. 294 (B 229)

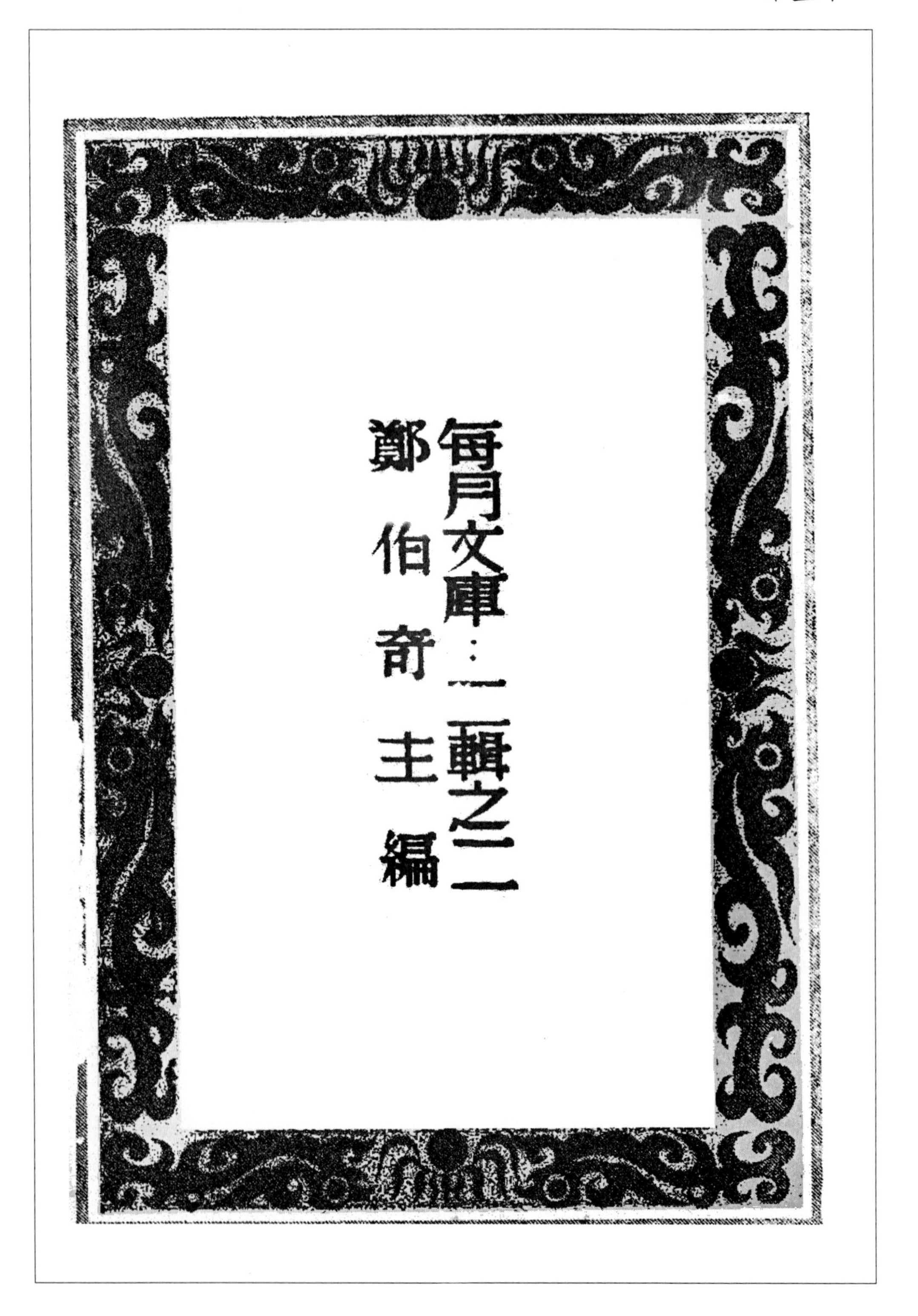
每月文庫：第一輯之二
鄭伯奇主編